Meyer-Duer, Ru

Verzeichniss der Schmetterlinge der Schweiz.

Meyer-Duer, Rudolf

Verzeichniss der Schmetterlinge der Schweiz.

Inktank publishing, 2018

www.inktank-publishing.com

ISBN/EAN: 9783750140400

Verzeichniss

der

Schmetterlinge der Schweiz.

I. Abtheilung. Tagfalter.

Mit Berücksichtigung ihrer klimatischen Abweichungen noch betreustbilet
und verschärfter Vorbemerkung

bearbeitet
von
Meyer-Dür.

Separat-Abdruck aus dem XIIten Bande der
Denkschriften der allgemeinen schweizerischen Gesellschaft
für die gesammten Naturwissenschaften.

VORWORT.

den Urabschriften der schweizer. naturforsch. Gesellschaft bezüglich auf ver-
terländischen Insektenkunde niedergelegt worden, so daß es im We-
sentlichen nur folgende:

1) Heer, die Käfer der Schweiz, in Band II., IV. und V.; (nur bis an
Ende der Lamellicornien reichend).

2) Mémoires sur quelques insectes, qui traient à la vigne dans le Can-
ton de Vaud (in Band V).

3) Nicolet, Recherches pour servir à l'histoire nat. des Podurelles, (in
Band II), eine sehr schöne Monographie.

4) Brown, Beiträge zu einer Monographie der Gallmücken (Cecidomya
Meigen.) in Tom. IX.

Die Bände V. und XI. konnte ich nicht sehen, doch dürften sie über die-
hier Gekürrenten nichts enthalten.

Indem ich ferner als wissenschaftliche Materialien für eine schweizer. Fauna
ökonomischen zu benutzen folgende Arbeiten, die zum Theil der, zum Theil nach
jenem Auftrab in Separatacrbeit, sowie auch als einzelne Aufsätze in aus-
wärtigen Zeitschriften erschienen:

4) Hagenbach, Symbol. Faunae Ins. Helvet.; enthält braunertere Arten
von Orthopteren.

5) Heer, Fauna Coleopt. betreffend sein sehr gediegenes, gründliches
Werk, aber leider nur noch bis an Ende der Lamellicornien rei-
chend.

7) Pictet, Description de mensellen espèces d'insectes du Léman du Lé-
man. (Genre Nemoura); 18 Arten.

8) Desselben Histoire naturelle etc. des Insectes Neuroptères (Perliden)
1844; und

9) Desselben Histoire naturelle etc. des Ins. Neuroptères (Ephémérines)
1843, zwei Prachtwerke, eine darauf ihm bekannten Arten enthaltend
und sehr schön abgebildet.

10) Desselben Recherches pour servir à l'histoire et à l'anatomie des
Phryganiden, mit 40 Tafeln fein colorirter Abbildungen.

11) Desselben: Eine Aufzählung der schweizer. Libelluliden in den

jener Zeit beschränkte sich die ganze schweizerische Thätigkeit im Gebiete der Lepidopterologie auf lustiges Sammeln, Festhalten und Wiederfangen dessen, was durch Meissner bekannt wurd. — Ein Umstand bei Anlass der Naturforscher-Versammlung in Solothurn, im Juli 1869, gab mir Gelegenheit, mit seinem mir liebgewordenen Freunde, die Herren Pro-Lesterpes und Charissans von Lausanne kennen zu lernen und mit ihnen über diesen Punkt mich zu besprechen. Wir kamen bald darauf überein, uns in eine Bearbeitung der schweiz. Lepidopteren thatsächlich zu theilen. Dort erste nähm sich die Geometriden (wenn sein Manuscript bereits fertig); der zweite der Noctuiden, und mir ward die Horde des Papilioniden Gängelschnere Halde') zu Theil, für welche seine Sammlung mir schon damals ein ausehnliches objectives Material darbei. — Hätte ich aber dazu noch in Meissner's abbeweidetem Verzeichniss bereits eine so werthvolle Grundlage und in rohen Blätter für die gute Sache Bearbeitung gefunden, ich würde es nie gewagt haben, solar erworbenen Kräfte jetzt der Oeffentlichkeit Probe zu geben. — Meine beifolgende Arbeit hat mich weit mehr Mühe, Fleiss und Ausdauer gekostet, als sie werth ist, und doch ist dieselbe das Ergebniss dreissigjähriger Beobachtungen. Ob sie aber Billigung findet, werden die Fehlste daran sein werden, und ob ich noch weiter in diesem frohem etwas werde leisten können, das mag die Zukunft lehren.

Dass ich von der humoristischen Form, an die sich meine Collegen strenge gehalten, wenn ihrlich abgewichen und in Einzelheiten gerathen bin, darüberhin steht umparere, wird hoffentlich der Wissenschaft keinen Schaden bringen. Einzelheiten hat sich seit Meissner's Zeit die Artenzahl unseres Tagfalter um etwa 15 vermehrt, andererseits haben Zeller's Bearbeitungen über die schweizerischen Kleinschmetterlinge (bis 1857) mich auf ein Studium geführt, dem bis jetzt unterwegs Aufmerksamkeit geschenkt wurde, nämlich: der Einfluss des Klima's, der Jahreszeiten, der geographischen und topischischen Verhältnisse auf den Habitus und die Formen des Falters; es ist aber dieses Studium so reich an ansichtlichen und gewährt so wichtige Resultate der genaueren Unterscheidung der Arten, dass es wohl der Mühe werth ist, noch weitere, eingreifendere Forschungen auf diesen Punkt zu legen. Sigenne

nach so manchen trüben und sützvergangnen Stunden, der Ausbruch und Läuterung der Kritik empfehle, wünsche ich, dass sie, auf vaterländischem Boden mit Treue gepflegt, recht bald an grünerer Reihe grünenro möge!

Stuttgart, im November 1858.

Meyer-Uhre.

I. Tribus: Papilionidae.

Genus Papilio. Latr.

1. Podalirius L.

unterschiedenen übrige Charaktere zwischen so in einander über, dass dadurch eine Menge Tendiniformen in Farbe und Zeichnung entstehen, aus denen sich die nachfolgenden Varietäten bestimmen lassen. 1) Dass ferner bei Männchen, je mehr es der inneren südlichen Gegenden sich nähert, die schwarze Zeichnung an Intensität zunimmt, und das Gelb zurückgedrängt wird, worauf dann in einer Liste die Varietät Sphyrus zutrifft und bei immer mehr zunehmender Verstärkung des Schwarzen sich die schmutzigen Dekorationsverfärbiger lassen bis zum nächtschwarzen Pap. Hospiton, das wahrscheinlich den letzten Extrem bildet, und dessen Aequivalent, durch südlichen Unterpunktgebaren, viro Schlee mit allem Gründe beurteilen oder vermögten in Parallel gezogen werden.

In nächsten Zusammenhang der grösser Veränderlichkeit in der Länge und Breite der Flügelstreifen und die Form und Grösse der Zellen kommen stehet, lassen wir auch nicht ermitteln können; sie sind aber so mandelförmig bei den Geschlechtern vor bei den Generationen) da grösser (die Schwärzer) bei Rücksicht sich durch verschiedene Farbe unterschiedet, so es so möglich, dass es unter schwarze Miniaturen Verhältnissen überhaupt so längst abzunehmen, dann schon Sphyrus bei die ihrem als enger gewöhnliche Weibchen.

Die Benhaming wird eine von Varietäten, die erste in meint, die ebenfalls in einer andere einigen Sammlung;

1) Wir grossen P der Zeunungsgeurgeien mit mehr chronopälfere fortentwickeltet, der vorher der Mundblick der Hinterflügel so erweglerdig eingebildet. Vom Butzhof:

2) Die P der Frühlingsgeuerntion mit stärker schwarze Abzeichnung und schmäleren schwarzem Aussenrande der Vorderflügel, der in der Mitte zum Schwarzen, auch noch etwas grösser so obfreuschliep.)

Das von Prof. Lowe von Bruns mitgetheite Männchen wer zentlet gelb als die übrigen. Die schwarze Randbinde der Hinterflügel ausgezeichnet brett. Ein schönes Randbinde der Vorderflügel haben später Ränder, während der beim bräunlichen Art abgenommpft sind. Schlee bei 1847.)

Im getrübige Range der Männer dieser auch bei uns zweitet Jahre in grösser Range auf dem Schichlichen Donaus Correalie, entgelt im Herbst zur Zeit der Aussemberen.

Genus Parnassius Latr. (Thecilae Fabr. Ochsh.)

8. Apollo L. Behn. Fig. 624—377. 738, 731.

Benennert wie das andere. wenigste Geguwen des Alpengebirge und Thäler, auch so

4. Dellus O. (Tab. II. Fig. 1.)

5. Mnemosyne.

[Text largely illegible due to page degradation]

II. Tribus: Pieridae.

Genus: Pieris. Schrk.

7. Brassicae L.

Räup. V. 401—404.

10. Callidice Esp.

Mähne, wie ich 1830 ein merkwürdig schönes Nest bei Andernach sah. Ihr ...

...

11. Dappiidice L.

Mihr. F 414. 115. ♀ Wie die Stemmargates ... in Wal-
lis. — F. 777. 778. ♀ Var. — F. 534—548. ♂ Var.
als Seitenstik für Problepapervarianten.
Freyer s. Brem. VI Tab. 532.

Euiagens: ...

Genus **Anthocharis** Boisd (Pcontr. Ochsh.)

12. **Belia** F.; nebst Var. a) Ausonia.
 — b) Simplonia.

18. Cardamines L.

Genus: Leucophasia Staph. (Pontia Ochsh.)

14. Sinapis L.

Von der zweiten Generation beobachtete ich die Anfänge...



Genus: **Rhodocera** Boisd. (Colias. Ochsh.)

10. **Rhamni** L.



Dieses überall in den stehen Regionen häufige grosse Fahr hat drei Fluggezeiten. aber nur zwei Generationen, indem die erste Fliehkr Ende Februar und Anfangs März nur vorfliegen, überwintertend Spätlinge der vorhedigen Sommergeneration sind. Die abgtehende erste Generation erscheint in häufiger Umzud seit den als Main April und durch die Anlage durch, sie erscheint aus überwintarten Puppen. Von der zweiten Generation beobachtete ich die Ersthage vom 11 — 14. Juli, dann erhaltend bis tief in den September. Am 3. September sah ich noch ganz frische Stücke in grosser Menge, in weiten Ständchen und an den Heberstände, und von diesen Spätlingen sorgen wohl eine oder überwintern, welche sich dann im Februar durch die ersten Stücke der Sommer wieder bemerkbaren lassen, dann über sämmtsr sehr selten sind; so stimmen sich in den unnigen zusgmzmertive Niederfügestglüre zuni mit den Sommertältern. Bei solchen Frühflaggzeiten vom 7. und 13. Mai flätz ich allmälich diese Spitze den durchgebruch eines Vertrormlander. Durch der diesem Merkmal spült und seger vertrrhelich.

Ihr Raupt von Rhental ist sehr schwere zu finden, da der Falter jede Ei an einzelne legt; doch fand ich sie in ästen Mätznotälachen wiederumb und Börausem trugede und brachte sie noch zur Verwichking.

AB. Dass die stidliche Gesapäten vor eine durch höhere Temperatur genehmeli angeführte Lokalrasse von Rhental ist, sicht wohl mit Recht, seist abermals angenommen. Die von vor anerpasysmden Flügelglieom der Gesapäten Rahrs ist nach bei den herrschen Rhänal-Exemplaren, meger auch bei einzelnen herkömmlichere des rechten Fügen. Die Umzgzitkhung dieke ist wohl nur die Wirzung der stidleben Kana.

III. Tribus: Lyraceiden.

Genus Thvola. F.

20. Notulac L.

Nulus. T. 293 293.
Gerhard Tab. 3. F. 1. und Var Spinulal — Tab. 4. r. 1.

Meisesst: »Von Ende August bis spät in den Herbst an Baphorsse und in Götterquartin.«

Rehtiat in der Färburiz abwandelbae über den ganzen Fließe und Vogelband vorherfm, doch noch abenfil gleich häufig. Ein Kogabof gemein vom M. doll so her in die

erwachsen sind und sich fester auf den Blättern ausphmen. Längst sucht man sie daran nicht bemerkt. Bei der Umwandlung entwickelten sich wieder Falter etwa vom 1 — 6. Juli, und saßen, hie wie Räuber, das glaube wild-schwer Anfangen.

In die Wand sehr ruhige Gev Lebenspal.

68. Auf den hinteren Exemplaren ist der roth-gelbe Fleck am Afterwinkel der Hinterflügel kaum erkennbar, sonst ganz verloschen.

30. Während flugs, ganz überwinternd, auch in Klein-Asien.

29. Aracia e Fabr.

Hübn. P. 112 — 114

Gerhard Taf. I. F. 4.

Von Keigner nicht angetroffen; auch nur an die Art ungewöhnlich vorgekommen (wohin Exemplare stammen von Wien). Begupps Georg die Steinmdach am 10. Juli schon etwas Angeflogene am Verbronen, auf dem Magelbagen und Praacohorg, in den Salen.

31. Lyaecae Fabr. Schaf. (Ursia Hübn. Ochsenh.)

Perger u. Schn. VI. 2-3. 449

Hübn. P. 271 — 275 ?

Gerhard Taf. II. F. 2.

Van Cerrs: Hübn. T. 643 — 644.

Gerhard Taf. IV. 3, 4.

Metanner: »Bei Bern in den Wäldern. In Wallis im Juni und Juli sehr häufig.«

Reinebmed gicht als Theatrich dos Juli an. In unseren Gegenden erscheint der Falter nach der Mitte Juni bis um die Mitte Juli in höhere Gebirgen, sonst sehr gewöhnlich, in den Voralbizpentanden, besonders auf Stoudorgdimchen.

Sehr gemein am Herpizpof, wo Megesser erwähle, wo er am 7. Juli erschijst, auf den Anfohen um den 8. Juli. In Menge an den warmen Muffhänen des Jura, bei Solothurn schon am 15. Juni, in der Wanh oben um den 20. Juni.

Kach Ochsenhimer, wrttu auch noch Gerhard's Abbildung (Masege. In Lyemaea Tab. II. F. 4, 4) ist des Mtembere auf der Obervrle einhihig überweichnen und auf dem Walt mit einem grossen, roth-gelben Flekden auf dem Vorderflügels. Die Giollindir schen Männchen stimmen dain nicht überein, dem alle die ich sah, zeigen einen solchen roth-gelben Fleck, nur matter, undeutlich begrenzt, wie verwuschen: so hübre

gedrungen [Hermes]. Am Thaner-See bei Maplewyl, Constans u. s. w. am 24. Juli. In Oberwallis bei Grengiols, und an den brütten Bergfeldern am Aletsch, folgleich auch Vatern am 10. Aug., bereits eröflagen, aber auf allen Schlüsselblättern eine der gemeinsten Erscheinungen.

Der Falter zeigt sich, in verschiedenen Abweichungen, je nach dem Einflüssen seiner Wohngebiete, in meiner Sammlung folgende Schreude besonders auffallend:

a) Ein Pärchen von Schämden. Grundfarbe matt schwarz-braun. Vorderflügel einfarbig. An den Hinterflügeln der besten Gesammtnatur der rotgelbe Fleck am Innenwinkel klein und verstrichen.

b) Ein Weib von der Koppitan-Byri [Jura] hat von Grundfarbe viel dunkler gezeichneten. Die Vorderflügel einfarbig, die rotgelben Flecke am Innenwinkelrand der Hinterflügel scharf und groß und bilden eine klare Binde.

c) Zwei Weiber von Zeigmatt [u. Wallis, 26. Aug.] und den javanischen ganz gleich. Augen sehr scharf und mehrere bei Antwerp, aus der Bürger-Gegend, bei welchen auf der Gesammte der Hinterflügel der rothe Schein beide Streiften gegen den Außenrand gewöhnlich eine ausdauernden Abänderung.

d) Ein Zahnreiche Mädchen von Spalten, im Juni 1860 durch Herr Ross mit Brombeerstauden gesammelt, ist dem von der schwarzen Grundfarbe; der rothe Außenfleck der Hinterflügel kaum erkennbar. — Unter von den javanischen sehr verschieden.

Die Varietät C. praetor Hübn. welche auf den Vorderflügeln Im[?] 3 und 9, ringelte Anhänge aus ihren haben soll, ist nie niemals vorgekommen; obwohl ich sie ihren Vorkommen in den wärmeren Südländern von Wallis und Tessin nicht erwarte.

Apfel hierüber Fuye auch von Petern [?]Birck. Tabse hin 1357.

Die graue Schildraupe lebt Anfangs durch erwachsen auf Rhamnus catharticus, [oder Frayus u. s. O.]

23. Quercus L.

Hübn. 2. 307—372.
Gerhard Tab. III. F. 3.
Var. Ballus: Gerhard Tab. IV F. 3.
Hübn. F. 473.

Naturfær: nha Juli und August. In Gespinstes, die eben Eichen sind, jedoch anspruch schläfrig.

Bewohnt nur die Flachland- und Hügel-Region und zeigen sich nirgends in der

ren stabt in ausgeprägt; doch unter 12 Exemplaren in meiner Sammlung finde ich nur [...] diesen [...] ähnlich, ein [...] vom 9. August ung [...] (verhalten Cantate und Virgauk an der Strasse gesammelt) und ein [...] von Burgdorf vom 4. Sept. Der Wohlen Exemplar hat die Vorderflügel so stark verbunden, dass die [...] nur verwandten verzeichnet sich [...] der Kost am Aderrandel so immer noch wenig mehr als [...] aufgetragen. — Das von [...] in einer kleiner, auf den Vorderflügeln [...] einen [...]. Das schwarze Querband jedoch immer noch sehr breit, breiter als bei [...] Frühlingsfalters. [...] vollkommene [...] in wieder [...] Belzungen von Monte Rosa im [...] Zagreb statt 1855 [...] und ein anderes vom 7. Juni [...] Genmen. Aber auch diesem fehlt noch der noch [...] Zahn der [...].

[...]

21. Virgaureae I

Esp. F. 349, 341. [...] var.
Freyer n. 9 [3. Tab. 411].
Gerhard Tab. V. F. 9.

Belzungen [...] ist nicht wahrscheinlich, dass [...] Grova, in Wallis und anderen Gegenden so gezogenen Falter unter [...] haben. Auch [...] er in [...] nicht eindeutig [...] von P. Virgaureae [...] nach der dabei citirten Gerhard'schen Abbildung [...] Tab 11, ch. 6. de Pictures. Er erscheint [...] mit dem Unterseitenfalter

von Anderung; an ter grösseren als feine nordöstlichen, aber auch nur weniger blauach Schiller und der Hinterflügel sind länger gerundet, doch hat es weder Andersay'sche Radel noch Spannung und scheint mir über ein Süd-Populatieb kennen zu sein.

62. Gerdius Esp.

Hübn. F. 343—348.

Freyer u. Schw. B Tab. 190, F t 2.

Meissner: «In Oberwallis, besonders im Tinschwalde nicht selten im Juli und August; als Raupe ebenfalls dort selten ganzer Kraut Führer. In der zärtlichsten Schwärmerei ist es auch häufiger. Er ist auch selten in der Gegend von Bern gefangen worden.»

Der Fundort Bern ist mir sehr verdächtig, da Gerdius nur die Gegenden Jenseits der Surseer-Alpenkette brachte und ich Meissner's Angabe (183 ... es dann keine antspruchsliche Kraut verknüpft, dass er noch hierzulande derartiges gefunden werden ...



38. Xanthe F. Bkhl. (Circa Ochenab. Tr.)

Hübn. F. 435—436.

Freyer u. Schw. II. Tab. 433. F. 4. 3.

Gerhard Tab. 22. F. 1. a. b. c. und Var. Corthis Scene. — Tab. 23. F. 3.

Meissner: «Allmonatlichen in Mai, August und September ...

Amycteres: ihre Augen bei Rae- nicht gewohnt
Polysprechos, ihre Frühling nicht gewohnt und
Curetos: »Dieser Fuhr wurde von Hrn. Prof. Stein in Unterredungeneingesehen. Der v'
-es auf der Obertasis dem Polysprechos dorybres gleich. Auf der Unterseite aber
-hließe ihr die rothgelbe Flecken am Innenpichel des Hinterflügel vereinheit:
»jedoch zeigt sich deutlich ein schwarzer, bläulich schimmernden der Punkt. Nach
»Dehnenbeiner befand sich in der Schätzung-Beretanze Umwandlung der -sächte
»Fälter unter dem Nagen Cureas, welchen wir daher beibehalten haben. —
»Das 9 ist nach erschienen.«

Dass in Wirklichkeit alle drei Falter zusammengehören. Sehen wir bereit in Aus-
derseste haben 1845 pag. 10. dass das Leffer durch Intressung Zeitung von Stein
1845 pag. 177) durch die Beeymacht bestimmt, dem Polysprechos von der Frühlings-
renereten in und dass sich's durch weshalb gerade wie mit Prozess und Lans so. Die ent-
mahr aus derjenigen Form, welcher Augusta im August gehegt, werden dass Sie Kang-
sbes auch von dem Engang der Westen ihr rollte Wesentlichen erreichen, sich dazu in
zusammengestellten Schäden verbänden, zu den Wintersäddl panoteren, um 11. April sich
verpuppen und zu 88. April die Polysprechos die Puppenschlen verlagen. Leffer's
Aufsatz ist so nugeebigend und deutet auf eine so gründliche Beobachtung der ganzen
Metamorphose, dass wir den unseren Buch hier öffentlich mittheylrochen, um nicht, um
heilen können. Die Flächen, auf welche so den Werlagen geneben und dann die Lappen
auch erstellt hat, sind: Trifolium pratense, arvense, Hedearpo hilasta und lupulum.
Astragltu schervers- und Phaee wehren, in deren Schatten sie allegadten auch enthieren
und die Refuen dazin enthählten.

Die von dem superbasst Pflanzfallte aud Continentangerpalus sind dann soeben mit
deren neueren Lenden, nanklich frauden Celotine mit reichlichen Unterrich dagegen Schle-
-dewi sind offen, letzte Weldeplebe. wo Polysprechos auch hat von den genere Hut
bändanth häofig, Laproto aber von d. Juli au bis an der 28. August weil austreven
Alngt. Bei Gloggen viel laben der letztere Landler raus.

Der Falter im im aus ein Bewohner der Leitung-Bogen und scheint, mult unteren
Rndore, w der Schwein das überall verbreitet. In Obtren können er auch noch in der
Gern-Rogen vor Jherj.

Die Var. Cunotas auf der Unterseite der Hinterflügel ohne Ocupelretichen, kommt
auch kloraten der Alpen, obwohl selten, mit dem gewöhnlichen Polysprechos unterprloste

41. **Ramodus Käy.**

92. **Agatin Kap.**

82. Orbitalus Esp

NB. Die Var. Aquila Baud wird noch jetzt als hochnordische circsm der ...

...

44 Eros O.

...F 655—546 ...

Gerhard Tab. VI. F. 2

...

eiförmiger Kordensulkinde. (Erzides U.S. Gerhard Tab. 37. F. 1. Abständ die andere Form ohne so gefässt, aber mit weisem Vordermulkatit auch noch einmal so gross, eure des Zahnes; sie können zur fehlermalerei auf wegele von Niederstein an Josl auf Wappen bei Aretgas gebangen. Beisudersili HS. [Beteru Kindern] Gerhard Tab. 27 F. 3. Proget a. Seite. V. Tab. 6366 3. 3. 3. Ambesst.].

Eine, wahrscheinlich abreibile so Rens gehörende, ungefähre neue Art:

Cornelia Kindern aus der Türkei, kenne ich nur aus Gerhards Abwage, der Lyanten Tab. 62. F. 1 a. b. c. Eigehenwirk stellt sie zwischen Alexis und Reus, In der Grösse, er den Kandymeinis der Hinterflügel und in der Kläriug und Angrenzlalsung der Unterseite gleicht sie völlig dem Rens. In der einzelnen Hügelkerb übert und in dem herrlichen Blau der Oberseite unsern Frühlings-Alexis. Auf der Oberseite der Vorderflügel zeigt für Abbildung ein undeutliches Mittelschirbit — Bis 6 glaubt eben ganz dem von Rens, nur hat es leine Spar von rutigelben Randmonden. Die Unterseite derselben ist nicht abgebildet.

De der Flügelkern und des Bans der Oberseite bei einer Leitergruppe dieses Verschwengen unterscheiden ist. diese Cornale spech gende nur in diesen Punkten und Dingen von Rens sich unterscheidet, so welchen ich die Leuse für etwas Anderes als eine zufällige MythiKiatien' unseres Rütins halten. Als Bevästerunten durch geheidlicher Recksonbemugen fortgesetzt wird.

44. Alexis F.

Rahe. F rnz . saa

Gerhard Tab. ze in 3 Varietkze.

Helsensi: »Fast des grünen Sommer hindurch offentlichen porauen. Ihn Abdmberung. verein übrbruch, maligter, das bat — die höhre höchter ist und auf der Oberruine der Bruterflügel eine Reihe schwarzer Punkte hat. könnet in den Alpengottesluc waren.

Orbenthalmus betrkrieb bles offenbar den spätre in erweiteruden rielsalschan Alexis. Rammer aber hat rund der Alexis Sommerexemplars aus den Alpin, ohne grösseren Verpfalbung, zu ihnen Form gewegen, ehne groska an heingte uleseum Leenlpermin gebahn. At ich nach der Lande seiner Perculung, die spätre in Stadtäniverik's Hande pakommen ist und bar ich geselen habe, nach nicht deutlich erkenne.

Ob Alexis in unmansrorhuzen und unrusgalschutzen Lultfänsnee sich die ganzen Sommer über erheitbend fortpfluen oder ob ihne Furpflen ng nach der Andegia der

Agnus in Wallis, werde Lenbari bis jetzt erproucht in der Schweiz gefunden. An seinem Flugorten von ihrem herweg bis nach Genreas und Bern kannte ihn er Anfaug. Ich gar nicht when und fliegt daselbst unvermischt mit Alexis, an Unau lautaw Berghängen. Die Raupe ist noch unbekannt.

Var. Hr. Eriorosis in nahen Lab. zyw. Andriali (natres. Ben. 1846) steht Endani als photre Varietis an Alexis. Ich kann ihm hiervon vollständig nicht beistimmen, es wäre eron die beständarsten Unterschiede des Grüns und die Färbung der Unterseite in den meisten Fällen nur tapp, ungenügende Kriterien sind, und ausksys, nichtsdestoweniger hier wirklich nicht vorkommen. Möge an den Forderera in Wallis gar Nachveit und etwa augenblicksweiseh in dieser Form, so würde er nur wohl die Lokalvarietät gelten. Er flugt aber als Alexis verwendet, aber das ich je einc Uniongexphierm wobatten hätte. Die sonstige Entwicklung der ersten Stande wird hier entschieden andern.

87. Adonis F.

Hbn. 1, 250–268.
Inspew = B.-Sr. T1 Tab. 407.
Gerhard Tab. 28. F. 1. a. b. c.

Var. Corinna: Hbn. F. 258–267, J F. 443—und Var. F. sed—sec. C.
Gerhard Tab 28. F. 2. a. b. c.

Bemoosers über Ear und Augers einst schon bei Berg auf Wiesper.

Speyer (neben. Zeit. 1858) zählt drei Generationen auf, nämlich die Flugzeit der ersten von Mitte Mai bis Ende Juni, der zweiten von Ende Juli bis über die Mitte August, und die der dritten Anfangs Oktober. In meiner Gegend ist mir Juve. nicht einmal vorgekommen. In den Apenninen oberhalb Mügges Berg die Tulie in Begleitung am 4. September, und an Triest am 26. März September.

Ein neu vereinstes Adonis um den 6. Mai bis Ende Juni; dann eine zweite Kel von Ende Juli bis Ende August, und den Kätern auer etwas später. Er ist in der Schweiz nicht allgemein verbreitet und früh, weites Wherre, den Berkolpen ganz; so er aber wohnhaul, ziemlich häufig, wie ein Schöpfen, im Thiergarten bei Aarmerg, von Juve bei Schaffhaus, auf dem Randsengenberg als Buel, selbst hie auf die plumpte Nbleme des Jura, wie Umagard, Böhle; am 24. Juni traf ich ihn in eine grösser Menge zusaßlich unter dem Zackauer der Vierummatten Jütter d. Hl. Gemein im Westland, im Veldt. Ben a. s. vr.; so auch im Raspulade des Wallis zwischen Vasplach und Genven. B. Aug i ware Argus. Alseus und Bpp. Didove. — schwann um Zürich auf Mauervorthüre Wiesen.

— 95 —

Der Falter ist in der Schweiz überall gemein, doch viel häufiger in den Berggegenden als in Flachlande; in nachgültiger Menge auf allen Anhöhen von 3000—4000' ü. M. u. R. aus dem Juni, wo er ... angetroffen. Sie höchsten Individuen und die neuere Stufen um die Sommersonnenwende abgedörrt. Am 17. August fand ich ihn noch in gut behaltenem Kleid auf der Gemmi, ganz in der Höhe des Heuerversammlung, in einer Höhe von 6500' ü. M. ... und Arie. Gebirken und Pflanzen. Und scheint nach einer ... Fluggebiet zu sein.

Ausser in der Grösse, in welcher er augenscheinlich abändert, zeigt er auch, jedoch unabhängig an den gleichen Lokalitäten, bald mehr bald weniger klaren Beschlechtungs anhaltender wirken auf ihre progonitschen Einflüsse: so haben z. B. alle unter ähnlichen Stücke sehr gerundeten, die vom ... dagegen etwas ... in die ... gezogenen Hinterflügel. — In Wallis kommt eine einzeln gefasste Form ... Falters vor, die sich ... durch sich ihres Wurzelbestäubung auf der Oberseite etwa entwickelten ... Anderweg.

Die Raupe dieses Rhodaris ist ... unbekannt.

95. Doxellii.

Hübn. P. 553—557.
Freyer n. Beitr. II. Tab. 155. F. 1. 2.
Gerhard Tab. 17. F. 3.

In der Schweiz bis jetzt einzig in Wallis ... Anderweg gefunden. Über seiner Anlage liegt er im Juli in nicht bedeutender Nähe von Simplon, doch sehr vereinzelt ... brauchbar das Werk.

Freyer's Bilder sind sehr verdorben, jeweil der Mann, dem er ganz das Bild und den Rahlitya den F. Aeppo gab, nachempf welcher in der Kupat fertigkeit eines Walliser Exemplares den Schmelz und die klumpigen Färbung von Gebürtsten hat. Gerhards Bilder ... in der Farbe besser, aber die Kurve verfehlt, so der Mode de ... — Die Hinterflügel sind geist.

Die Raupe ist aus uns Reis noch unbekannt.

96. Argiolus L.

Hübn. P. 773—774 als Acis.
Freyer n. Beitr. V. Tab. 444. F. 2. 4.
Gerhard Tab. 12. F. 3.

Meissner: »Vor den Wäldern im Mai und Juni nicht häufige«

IV. Tribus: Kryciniclen. Reitel.

Genus: Nemeobius. Steph.

81. Lucifas L.

Hübn. F. 51. 22.
Freyer 12. Seite 1. Tab. 49 K. 1.

Raupe: »im Frühling auf Wiesen nicht selten«

Schatten aus dem nördlichen und mittlern Europa ausgezeichnet. Von Bremen in der Südlande ist es ziemlich ungünstig, nach in der Schweiz fand ich ihn aus Bremeln der Alpenkette; so ist aber vorhanden, ist es grössstlich ziemlich vorhanden, zumal in den Vorfrühlingen der Eingebungen, in niedrigem Myrthiera, auch auf dem Jura von 1000 bis 3000 d. H.; überall zu lieben, geschützten Laubwäldern, auf Waldwiesen und Bschplätzen; es schwebt bei über den Raum hinweg, stürt sich bald ihrerum Flüge auf die Erde oder auf niedrige Pflanzen und Trockner selten oder leselegtsiben W-Sophisem.

Der Krellkog zeigen sich in den wärmern Landschaften schon um den 23. April bis um den 23. Mai (Sonnenzeit) in den zartern Wohlprovinzen der Eingebungen. Burgswirt, Emmenthal d. s. w., um den 1. Juni; an den Abhängen des Jura wir am Wassermühte Bönnthasler und auf den Südphanagern erst um den 16. April. Auf allen Ihnen Erdenwurst die Fliegzeit etwa 6 Wochen, so dass es Ende Juni Lucina allgemeine verschwunden ist.

Se scheint kaum Abänderungen zu erleiden. Meine unterländischen Exemplare am Schlonde sind flächern ungenein mit den gewernwurzigen von den nurschlordernda hergrodden gewärts überfrist

Die Raupe lebt nach Freyer (erdem, Zeit. Heitie 1837 p. 50, im Sommer auf Primula vulgaris und einiger. Maerzbaum als eine dicke, kurzhalstere, gründlich-anther Psppe und verwickelt sich als Futter im gleichmem Fräähims; ich kurkuminte deuerthve am Lina derwicklichen bei Burgsdorf am 1. Juni in mählwer Menge, sich beguerend, auf einer Nettle, die hier mit Schmetzyrane, protirum beharht wir und im gar leden Pétmade in des Rühe stunden; ste durfte daher auch auch audere Schweppgpflanzen haben.

V. Tribus: Danaïden.

Fehlt in der Schweiz ganz. (Chrysippus.)

100

VI. Tribus: Nymphalides.

Gen. Limenitis Sanst. O.

64. Lucilla F.

Esta. P. 101. 102.
Freyer üb. Schm. I. Tab. 15. — a. Beitr. IV. Tab. 200

Meisssner: »Anfangs August bei Luzern, übrigens der Alpen unbekannt.«

...

65. Sibylla F.

Esta. T. 103—104.

...

Die Raupe lebt einzeln auf Lonicera zerstreuet. Die Blupphut wurde an früher Stelle in Gartenanlagen gefunden.

Genus: **Nymphalis** Hoisd. Limenitis O.

97. Populi L.

Hbn. T. 15/— 110.
Freyer 41. Bdtt. L Tab. 37.
» « » IV, Tab. 313 der fehler Abercation.
Esper Tab. 114. Cont. 69. F. 5. A. Var. Tremulae.

Meinung: oder Ende der April bis in die Mitte des Juli auf Wegen, in Waldern, wo viele Raupenpuppe sind, aber angenom growen.

Es bewohnt dieser prächtige Falter das gesammte, von Laubwäldern vielfach durchschnittene Flach- und Hügelland zwischen dem Nord- und der Alpenkette, ganz besonders die mildern Gegenden des Schweizgebietes ...

[text largely illegible]

en einem Ende, dem von demselben kein Spur mehr bleibt (dahin gehört das ausgezeichnet schöne Varasto bei Freyer Taf. 348), und ein schöneres Stadium, wo man die Vorderflügel noch einigermassen ...

...

Gen. Argynnis O.

59. Paedora Esp.

Hübn. F. 73. 74. 469. 467.
Freyer a. Beitr. VI. Taf. 467.

...

60. Paphia L.

Hübn. F. 69. 79. 692. 738. abnorm. 767. 744. ...
Freyer a. Beitr. IV. 891. F. 1. ...

...

71. Adippe O.

74. Daphne P.

75. Thore ältn.

76. Ino Ep.

Ueber. 60. 41. (Ottmann.)
Freyer u. Beitr. F. Tab. 102 p. 43.

Raupe: ...

[text illegible due to severe fading]

77. Pales F.

Palee: Stär. F. 24. 23. — 42, 29. Tab. — 211. 612. — 968. 969.
" Freyer u. Beitr. II. Tab. 197. F. 1. Var. III. Tab. 302. F. 2. Var.
Tar. Inis " " " " " V. 2. 3.
" Kahn. F. 362. 363. 765. 766. Japonica 761, V und dunkleres Gebilde.

[text illegible due to severe fading]

der [...], [...] sich [...], und [...] immer [...], in [...] Umständlichen, wo der Falter nicht vorkommend ist, weitern [...] und zuglüchig [...] hinvorkommt. Selche [...] Abweichungen sind [...] abgebildet in Treyer's [...], [...] 13, Tab. 152, F. f von der Höhe des Todenpass in [...] zum Hrn Bankamtrat [...] Job. rek. F. 5 aus den Pontner Alpen [...]. Meyer Luzzatg.

Die Flugzeit von Pelps dauert vom 5. oder 7. Juli an bis um die Mitte August.

Von den frühern Ständen des Falters ist meines Wissens noch nichts bekannt.

146. Die Porcher von Lappland (v. Echef.) ähnelt in Färbe, Ordnung und [...] der Oberseite ganz genau mit den [...] Exemplaren von der Schulmei auf der Genend. Auf der Unterseite der Hinterflügel ist aber der Farbenausbruch von Wißer, [...] viel deutlicher [...] viel größer als bei [...] [...] [...]. Ein zweites Männchen ebenfalls aus Lappland [...] Hrn. Stauding im [...] erhalten, [...] noch [...] und unter [...]; die Unterseite des Vorderflügel zeigt die [...] Kleinstein ist ganz verdunkelt. Die der Hinterflügel ist [...], der gelbe Mittelband, der [...] am Rande, [...] auch die [...] [...] und aufreulich begrenzt. Mit diesen Exemplare sind übereinstimmend, nur [...] [...] und die [...] Unterseite noch Bleier, wird [...] [...] von der [...] [...]. [...] [...] diesen bei [...] sehr matter, blassen Färbung der Unterseite noch darin [...], dass die Mittelbinde der Hinterflügel fast nur durch [...] [...] schwarzer Linien auf der Grundfläche bezeichnet ist. [...] Stücke von der [...], sowie den [...] von Hrn [...] [...] ein erwerblicher Uebergangsstufe zu der [...] Form bin.

76. Arctische Exp.

Hübn. V. 36, 97.

Treyer 4 Nebr. 18. Tab. 144, F. 3 und Tab. 145 F. 2.

Dieser Falter wird von Meinecke [...] aufgestellt, weil er damals in der Schweiz nicht bekannt war; es stellt später bei Pilat die Hübner'sche Arctische F. 36, 97. [...] weil bei den ersten Autoren [...] nur eine Art vorkamm, die bald Pebo, bald Arctische genannt werde, bis Treytschke, Rapporsbad und Boisduval sie endlich zu zwei, Pejus sogar noch bis als Arten der unterschieden. In der jüngsten Zeit erfolgte namentlich die [...] Zusammenlegen zu einer Wiedervereinigung dieser beiden Arten [...] gleiche stark hinausnützung, was Standfuss und Keller

Letzter hat seine Gründe weitläufig in der ersten Jahrheft der Entomologen 1842

[text largely illegible]

b. Euphrosine der Hochalpen. ...

Al. Sphinx Γ.

Meisteutheil ...

ich habe indem auch trüber Bräunngerth in der Nixar vergleichen können; und eriihte derhalb nicht dazüber abzurrehen. Sicherlich, da atiger erst uyti hafte est Topi 1851. ersüllud dertt gor nicht.

Die deutchflernt Dartungen von Dinigona hat obere ndrrtieriehen Kasücngiyuhn und Aareu vestradie Darrum: sie hält ius Mai und Juni auf Helungrynum eyrnzhreu. Vergl. weyyre aus u. O.

in Asien. Nordafrika, Kleinasien[?] und soll sogar auch in Nordirland gefunden werden
…

94. Atalanta L.

Milne F. M. 3a
Atterrat. Prop. a. Brit. III. Tab. 192. F. 1.

…

94. Je L.

Wän. F. 77. 78.

Meyerer: »Im Frühjahr und im August; seltener öfters als Jahreserscheinung im obern ...«

[Body text illegible due to degradation]

93. Antigre L.

Wän. F. 79. 80.

Abwe. Sygigea Ha.: Sighn. F. 798.

Frsper » Anhe. 2: Tab. 148. F. 2.

Meisnaer: »Im August kenn seinen Gebhänge Eines Fehler Oberalssorn und treibatien ...«

[Body text illegible due to degradation]

VII. Tribus: Libytheidea.

Genus: Libythea. Lefr

100. Celtis F. Esp.

Raup. F. 141—149.

Meissner. Mr. Enther in Zürich fieng diesen Falter 1811 an der Südseite des Simplon unterhalb Gondo an der Steinen. Ohne Zweifel kommt er in der italienischen südlichen überall vor, wo die Celtis werden zu häufig wächst.

Weitere Nachrichten über das Vorkommen dieses Falters in der Schweiz haben wir nicht erhalten können. Neue Exemplare kommen aus Südfrankreich. Der Falter kommt auch in Piemont vor.

VIII. Tribus: Apaturidea.

Genus: Apatura Ochsh. B.

101. Iris L.

Raup. F. 117, 118.

Var. Jole: Raup. F. 009, 642, 144, 784.

Freyer z. Raup. I, Tab. 167.

Meissner: Den Pelz wird Anfangs August in und um den Laubwäldern auf den Fahrwegen u. s. w. in raschem Anhren und in manchen Gegenden ziemlich häufig alle Weibchen sind bei weitem seltener und erscheinen kaum, am Ort bei selten Individuen, später als die Männchen. Die ... von diesem Jahr von ausnehmend im Innern als eigene Art beschriebene Varietät erhält ich 2 Mal aus den Gondthäler bei Bern. Die ... hat gar keine helle oder weissen Binde die an den nur eine schmälere blaue Streifen auf den Unterflügelen.

Sie brauchen in der Schweiz hauptsächlich den Ungebiet werden den Iris und den Popu der Verseben, werden aber höher als unter ... abgerade verachtungen, und kann für die entsprechende Wohnplatze, ständig kaum bei, ... Thätigkeit als Laubwäldern, von Westen berichtetes Bräutiger und ausgenommenen Querbach zu

102. Var F. und Var. Clytie B.

IX. Tribus: Satyridae.

Genus: Arge, Rap. Boisd.

108. Galathea L.

Pyrenäen, auch Kurd, auch in Schottland, vorkommt. Sie trennden bei uns nur die mittlere und Hochalpen-Region, sowohl der Kalk- als der Granitalpen, erhalten dabei bis 5000' ü. M., und kommt hier namentlich in niedrigeren Gegenden und auf weniger Korpacten in einer mächtigen Drift von 4000' breiten. Den hier fehlt sie ganz. Ihre Fruchtungsgian sie geschieben um den 15. Juli, der Umspillus dem 10—30. Juli; sie beginn, aus noch vorliegenen Exemplar um den 10—15. August, wo dann bleibe Blocke nur noch in den höchsten Regionen vom 6000—aus sichtyn anhemmen.

Ihr 50 mir vorliegenden Exemplare unser Sammlung riesmen von der Drenbeden-alp als Magelugen, Am Gasterthergen, der Grimseljoh, Meyerund, Farka, Gemmi, Splünen, Aus den Wallisern und den Bünderualpen. Sie engen unter sich so Grösse Fin gehndeuk und Dunklelheit der Kuden nantigwld Abwehleneuten, die sich indere zwei 3 Umspilleren anschließen lasen, nämlich:

1) Var. al Boreauvais Tab. II, F. 2 Von den höhere Ellershader Alpen: Breithoden, Urswahnd, Hubensieldies, Schaldegg, Harkrube der Gemmi &c. v. a.

Die Meiste Form, Vorderflügel schmal, sehr gestreckt, von der Spitze gegen den Innersuad schräg talsabend. Die ausgeyche Binde der Vorderflegel langehr nur um 3—4 Linien, vorresssinten und gettrennten Flecken, von dener auf den Vorderflügeln gewähnlich 3, einer auch 4. Alle Meine schwarze Flgcden haben. Auf sou Hinerdypirn vorscheie die Zahl dieser Bindetdecko von 3—4.

Übers boten bei vielleicht überdien mit Bainbruch Var Nichmen

2. Var. b) Tadernoa Van der Meyerund Tab. II. F. 6 und den höhere sphlichen Wallisar Alpen Tab. II. 1. &c die ströme aus Freyer's Tab. 88. Fig. 1 2.

Grösser als Var. s Laz von Hoerug. Die Vorderflügel borker, der Anteurand auderdeinkshörr, in der Mitte ausbreiten. Die Vorderlugelbinde breiker, zwmitverldtepraden, fast bis eine Kure roln-hindelchland.

Wahrscheinlich mit Var. Harenia Borkwach, die ich aus Aumpair sicht kenne, zu zusammenfallend.

Rameut's Angabe: „Unterseite der Hinterflügel stets eudastig kurrz ohne rothbürde beabsichtiget mit der rothroten Flecken und unter oder weniger schwach ist gewöhnlich.

Van den rothen Stücke soweit ist Februare ist auch ein echte bekannt. Beide flug es groß tssannest, sie tsasennd, ungeläke wie der von Gemec, ty bim unortgr Abdinge, die mit kptger Carpandos, bevodert Lünteudroutvo gedeckt sind, aus welcher das artige und sehr schöne Weib anderen ausgewahrsshe werden unnt. Lecterene verschebt nach

105. Eziphyle Fr.

den Glarner Alpen fängt sie in der untern Alpenregion an, erhält sich ohne Vorbild bis auf 7000 ü. M. Meeri.

Meeri erscheint in ihrer Mitart, in den manchfältigsten Schattirungen der Grösse, der Streiflichkeit und Stärke der Forclarat; denn und die Weibchen um die Mitte der Flügel, aber weit schöner und...

197 **Melanippus**

Hbn. F. [?] 496. [?]
Freyer n. Beitr. I. Tab. 14. F. 1. 4.

Meeri [...] auf allen Alpen, gewöhnlich die erste Art ihrer eigenthümlichen Alpenbewohner, der das Alpenleben anhängt. Auf den Jura kömmt er nicht...

Werthe es würdigen. Finden sich dann solche, die keine Uebergänge mehr darbieten, für die gesellschaftliche Aktienbewegungen der Freundschaft angepasst sind, so sind sie als solche auch unseren Anschauungen wohl geeicht, wo nicht, so möchte ich mehr der Andern nach kündigen, Medusa, Hippomedusa und sonst Feuden mit Vorwurf, als ihnen ähnentliche Lokalformen unter und derselben Art annehmen.

Die Stammart Medusa, wie sie bei von alignums in der Naturgeon reichtums gleiche ganz (Sie siehen Abänderungen eigensthaft Torgey's 384 I. Teh. Ⅻ.

Hippomedusa soll sich nach Helmers von Ihr unterscheiden:

a) Durch geringern Grösse. Diesen Unterschied im höchst unbenützend. Ich habe Weimen bei höchsten liegend und von besteehen, das nicht grösser als kleine Hippomedusa Männer sind, und wieder Weiber von Hippomedusa, die riesichen Hoehpa Weiber merklich übertreffen.

b) Durch längere Fühler mit besstern Keulen. Bereits auf Vorschlafi und ausständigen Vergleichung. Die Keulen finde ich ganz gleich. Der Längenunterschied ist höchst unbedeutend und thatsächlich wandelbar. Bei dem Weibe lichter Arten sind die Körper ein kurz Männer, doch bleiben so stark bei bekannte dab nicht immer stark; unter 5 wahrscheinlichen Messer-Männern haben die ganz, wie gleichgrosse Hippomedusa-Männer von Iura.

d) Durch kürzere Taster. Hängt ebenfalls von der Grösse der Individuen ab, wohl aind, die bei Weibua im Allgemeinen etwas Maagor behaart. doch wusste ich, als auf diesen gewerbfligun Umstand solches Gewicht für eigenes Augrecht gelegt werpin inen

f) Durch eine in sachere Bezählung. Das Lette ich von bei Iehum seiner 7 Ruemplare Gehn.

Halmer's Unterschiebs-gestimmten von Wehrm und Hippomedusa und als Jerejums nicht richtihlg. Es bei sich eine allgemeinen Eindruck der Estrems verchleuden laven, aber mannhosy Mhenfehdten als Merkmals hervorgehoben; die Sache ist aber die, dass Medusa die Beschluteris des Thätingeoun erst vor da in ihren vollkeurnasen Nummigen sich entten, während sie, ihren höchsten Thiggrennen sich erhervel, immer mehr und mehr so Frobe nach Gehnu verkummert, bis das kleinen Extrem als Hippomedusa den krähen merkt. Diese Hippomedusa in ohe nicht als das nacheter Furm der gesellschaften Medusa und erinnert sich von der Sturmarzt durch Palgradre preu der kurzen Complorie bei brying Geschlebrhren in maser. Beim Nivea sind die Besehalen der Oberseite Mehlker, verkümmert und nach immer mein erchen. Die verampährmen Augeboerla sind viel kleiner und meist von sie eten wattere sowie der ware Mant, vor-

117. **Pecten O. Tr** Fr. nat Var. Plica Hm. (Archiv F. Bath. Geied.)

Monomer. …

ab blosse Abweisungen von Asygos begriffen. Unten kann die Wagen der zu verschiedenen Dauerreste der Hinterflügel wohl nicht gehören; doch dürfte die zu passenden errechen demmt sind Räuber sieben. Das Weibchen braun bis dahin.

118. Ligea L.

pän. p. 419. 497.

Freyer n. Bmhr. 1. Tab. 47

Meissner: als den Wäldern und den im Walder anwesenden Wiesen gemein. In den schattig/sonnigen Gegenden, so wie des Lautmeldungen geben, etwa verlaufener Laubar und schwebein, raue schönen Varietät, bei welcher die »Binde graue, man ersaugerpolb wohlsein, werde im Lrengerunwalde bei Bern »gefangen und befindet sich in Hrn. Studer's Sammlung.«

Ligea brauchet alle Formationen des Jahrnels, vom Fusse des Jura an bis in die Thäler der Voralpen, besonders die mit Laub- und Nadelholz bewachsenen. Denken Waldwiesen der Bergetregen von 1500 — 6000 u. H. In Würm kann Ligea auch in der untere Alpenregion bis zur Zwerggrenze Mond be welden, allenen Gegenden des Wärkbanken, wo im Schlupfen. Ausberg in s. werd erscheint sie schon von den 40—70. Juni in bättere, vielfach durchschnittenen Rägel- und Waldgründen, wo nur Ringsteel, euch auf den niedere Vorulpen der buschigerumet, z. B. am Gurnigel, gewöhnlich erst um Juni d. Juli. Man ieht verschieben die Weiber und um der Witte August kaut der Flug gans auf.

Die so bekannten genannte Bemtachtung, dass der Falter dort nur ein zweit Jahre verkommt und von in den Jahren seri appreutenz fehlen, trifft bei uns nicht ein. In den Schmen Gegt er alljährlich so subere Weinphären gleich häufig.

Die geberene, schönsten Exemplare, mit den summerichtteren Grundfarbe und höhert russschen Erden, aber grünliebish kleinere und nur halbwerk verkeuphornen Augenderlen Land leb erste aus Burgdorf in das bechten. beschliegenere Waldstreck der Bertamerthäler, beseubare an der Geman. Kleuas graue und prächtig ist ein Paar aus dem Vigonthals an der obstärben Walthass Alpenkotze (um 6 August), werren sich die Männchen durch eine dunklere Reutäunde mit sehr lichten, kann verlaugdrennen Augenpunkten, und das Weibchen durch einen besondern breite, heil runtgelbe Bunde ansmeichnen, in welcher auf den Vorderfürgeln der obere Augenfleck fehlt und auf den Hinterflügeln vor 4 kleine Minde stehen.

Ausgezeichnet durch grosse weisse Papillen in den vollständigen Augenblicken und die Wülste der nahlphen Region um Megalopa, sowie mit derjenigen von dasselge). Hier haben auch die Männer fast durchgehends in allen Augenblicken weisse Papillen.

Männer sind schmälflüge, mit späteren Vorderflügeln als bei uns. Kleiner Liptz la Xovékkammintünd vor. Drei Männer vom Riesengebirge (für ich Hra. Standfuss verdanke) sind kaum so gross als Foyor's LII t Tab. 42.

Kyr Anuklenting allee Verschiedenteng mit den ersten Enryate im durchaus gewale. Im 18. Juli 1848 habe ich am Oberpeuisjot hade Arten ganz bestimmt. Oberhalb dem Schürmtitzentvats bei einer ektmf heritten sich heiter Fluggrenze. Ligne Arg ist haufkeitig ver se dem Wöhmanor auf Grählenbre beren, fel durch Ber Grösse schwarze webten in der Augré, während Euryate zu Enpereden immer viel der kompflege Gegällein mit W. Phenls, Orner und Artjeits sich inzwischen und mit cien am auf ihtes eut Habro, niemals auf Unterräuher und Blgee einzusetzen.

Ihr Raupe ist wir noch nicht vorgekommen. Nach Foyor ist sie kurz, dick, gran-Kol-leingelb, mit dankler, rothgesummter Rhdenlinfe; sie überweisen in halber Grösse und Kadet sich im Mai zwischen im Waldgaun, ist trpenude Gbge, hise ünd nicht, welejst kurpere. vorpurpei sieh Mitte oder Enka Mel vof der bloeken Erde und entwickelt sieh vom Polter nach 14 Tagen bis 3 Wochen.

1680. Euryate Esp. 1) Var. alpina: Adyte Elm.
2) " Philomela II.

Esen. F. 789, 790. 9 Var. PhilomelaiGeralgeHura), — P. von 940, pertdet ein Verleiß so Bedrel. F. 948, 449. V bei eine eigenthümliche Aberration von Var. Adyte, aber nicht Prismele, wie angegeben. — F. 759. 760 Adyze 5.

Foyer a Beitr. 1. Tab. 91. F. 3. 4. pån Euryate ist unsere Adyte. — f. Tab. 94. F. 4. 3. bt 4a schleplicche Stammelforn Euryate.

Mettner 'sGebergebtimer bearbeität nehr Arnge denen eines Felke aus dem mittansten Edengebirge, der in mehreut Fälten von dem unselgen übersehl. Alle leb diese welden zehn Enryate in mehrere Euemplaren aufnehitta und welehileben Geeälkeabes ver ver kebe. se kte leb in Stande. ewe genaue Vergleichelmng mit der umelgen anzustellen. und nach dieser Analy leb folgenne Ter-mehtedenheilen:

53

gleichfalls dem Tachmann auf der Columbashöhe bei 7960' k. M. unberwenung vom stärkeren Winde mit mittelhoren Wohlinhapen sich beträchtlichen Linien) oder Beobachtung, die auch die Kennuke am Oberhaule häufig gewesen hatte. Fast lange einhältnären Onderscryttag Schen Jenn für Felter giere und bedacht auf den Kngen nicht oder trans auch von den Rindern verfachten.

Kagus klteere in unsermächtigen Abraderungen, sowsit auf der Unterseite, vermeine des ihere Antoeren, var flap., Breith., eine Menge eignere kleine gehabt werden. var F. Onätor, Pallan, Lappurne, Krime, Pandrome, Aglanetur, Lilie und Heurin. Alle diese eagen Abhinderungen getanden sich mit's und auf Ais. bald grössere, bald krummen. hald mehr oder weniger auxgedruckte, oft auch gern kniemk innwiländen auf der Unterseite der Kauerfingela diese auf den Reld oder der glaulliche Erkbe des nebrasten Randpucke. Auf der Obmache und die Abweichungen merkwörblich.

Fine mählere Vorkeift, die mir indess bis jetzt nicht verkäm, soll Geete: III. Tab 66. F. 395. Abli am Pterdand, wie.

· Von den ersten Stänken der Felters er gar nichts hekumt

19A. Tyodaigf Bsp. (Drumm F. Bäld.)

Kälm. F. 971—971.

Preyer u. Rätr. L. Tab. 66. F. 1 3.

Var. *Acheta* Fr.: Llnbm F. Md—d L. *Chm.*

Preyer u. Rein. 4. Tab. 66 F. 3 4.

Bsp. Kaniduibru`

Gät. Fab. 27. f. 100. — Tab 10. F. 976 (Drumm)

Nächmer: sfehr gemein und den klpede, immer aber oberhalb der Laubendtönquen und also zu den Läßjenn Regionen hinaufea

Auf allen Kalk- und Granitborgen der gesamt Alpenkete von unte bis 7900' u. M altroul und wohl in grösser, verhewsickenden Menge anhrärend, vom 6. oder 6. Juh zu Ln in Kr ersten Fage September. Nur auf dem lava Ted und der Isaubentuhremden den jehrsdarretzten Hütterbruhen kämmt er akrin vor

Ohmgermepel, Nanklhom, Oberhänfenlpen, Geanti, Wallönckecpe, Stäymu and Anfänder Alpen.

Der Falter vaciag in zwei Bichtnugen:

1) In Foem and Grösse. Am grösten, mit den quanttre Vorderklgele, dohm

Gen. Satyrus Boisd. (Hipparchia (?))

185 Cordula F.

Hübn. ... — ...

(text largely illegible due to faded print)

Die Weiber ûhnneln im Genere mit Freyer's Bild A, Reiz. IV. Fab. 57 E und färben sich mehr grünere Lagumpiegel. Auch sind die Unterflügel stärker gerundet. Auf der Unterseite trägt sich die verglasten Unterflügel.

Die Raupe kenne ich in der Natur nicht. Nach Freyer, der sie, wie u. O. erhr schöne ähnlich und künstlerisch, gleicht sie derjenigen von Prunsypia; bleich beingelb, mit dunklen und weißen Längslinien, nach hinten schmal, runzlig seitwärts, weil, dass sie gelbere noch und etwas auszupuppig trägt.

Freyer schuper sie aus B. Mey hält erwachsen auf gewisserer Form. Die Verpuppung geschah ohne alles Gespinnst auf blosser Erde und Eude Juni, und der Falter entwickelte sich nach 4 Wochen.

128. Affionis Esp. Vernetus Stermliozz. L. h.

Wien. I. 667—669. S. 338. 641. d (meht aber P. 113, 136. 815 815, welche eigentlich nur südlichen Exemplaren gehören.
Freyer n. Beitr. VI. Tab. 109. C. L. h.
156. Tab. 29. f. 177.

Melastert: sich etwas bekannter, dass sich die Artenselwbshalt der beiden Falter erklärend und feststellt noch nicht klar erkennen müssen. Es ist hier der Fall wie mit Ihrausbere und Alcyone. In unsere Welke, von Weinhardt da Vaum, fliegen einer Schwestertage im Frühjahre und kommen im Spätherbst in grosser Menge rund es bleibt sich die mäche Fehrzeiluge anfreinion, dass man nicht erweisch mag es für die Allfinge oder für derselbes machen will. Wir erhennt es hol, erh wenn Nachlässe von verlogener Exemplare von Affinale sehen.

Wir ende dieser Falter nach Klima und geographischer Verbreitung abändert, beweise der reiche Blezarz, unter denen er nun verschiedenen Gegenden, als etwas nahe kurem, reinmält wird. Nach unseren Dafürhalten gehören sie alle Exemplaren, dass obwohl die Exemre ganz auffällend von einander abwender, so hanne doch die Mittelstufen ihrer Anschlusse nach dritten Richtungen kaum verkeuten.

Als den eigentlichen von Ochreshaltener gemeinsten, wahren Staffitisz hält man sind mit Recht die Maenia norddeutsche Form I. A, wie wir sie von Brrnnschweig, Berlin, Danzig und aus Schlesien erhalten; sie ist eine abgebildete in Freyer's

berg, Schopfen. Schweizern, Burgdorf oft sehr gemein; seltener in der nordlichen Schweiz in den nordöstlichen ganz fehlend.

Die Raupe lässt ich eine aus Burgdorf auf ihrem sehr zusagen. Heinigen Abhangen über den Sandsteinfelsen. Auf Umbgriss (Lathen nehmen) um 7. Juni; sie verpuppte sich in der Erde und entwickelte sich zu einem weiblichen Falter am 8. August.

172. Delsals L.

Kaln. P. 189, 139.
Freyer c. Beitr. VI. Tab. 601. nebst Verwandlung.

Maisonner: «An den zwei Orten im August und September an einzelnen Orten. : B. bei Königsberg, sehr gemein. Vier Thiere im oder als zweipuppenwas.

Häufig um die Mitte Augusts als Zeit bei Biels denn in den Wäldern um wenigen, mageren Bergäckern der Ryffhof und in der Gras der Gewere: bei Gras am Fusse der Salvia. Um Burgdorf war es in den letzten Jahren oder gemein auf den dampfigen, dichtgras-, sumpfbunten Rietplätze, wo es aber aus Langern verschwunden ist. Thront bei Kaiser Zürich, wo es auf Größten Zeit auf trockigen Hügeln um Brülandest nach häufig war, aberdem ratt jetzt wie damals jene Stellen umbebaut sind. Heute in dieses mes und zu werdigen Lokalitäten ist finden und in ahnisi seiner überebnen schweren Fortpflanzung, die immer mehr überhand nehmende Landverthen sehr bannlend schützen zu treten.

Das Thierchen von Species Dalmatien in seiner Sammlung, ist sehr wenig gehören und die bayerise und in der Färbung nicht verschieden. Dagegen besitze ich aus der Var. Dirota, mit braungelben Binden, ein ausgezeichnet schönes Weib aus dem südlichen Thierland, das die Gebirt unserer gewöhnlichen Exemplaren ühnnst erreicht.

Die Raupe von Soleris wurde von vier 4 oder 6 Lahren von Dr. Michael bei Prag entdeckt durch Freyer (h. T. VI. Fab. 601; abgebildet. Nach diesem Bilde gleicht sie oder der von P. Nassala: sie ist breit, spindelförmig, braun in 4 überzipitete umbauknd, gelbgrau, salt 2 feineln und 2 hellen Linspelinie; sie abweinirrt. Ich anmählchet am Kbf und Auf auf den magern Flugstellen der Falters, im Grase, welcher abec Nahrung die. Um Tag über ruht sie in der Erde; verpuppt sich freiliegend auf dem Boden und entwickelt sich als Falter von Juli bis in den September.

III. Von der Twierbe und braungelben Binden (Var.a Mita. P. 678—681) sind auch nie zwei kleine Schweizer-Exemplare vorgekommen.

Zwei deutsche Exemplare von Wittenberg, in unserer Sammlung, weichen von den hiesigen in nichts ab.

Die Raupe ist grün, und 4 weissgelben Längsstreifen und 1 erhöhtem, schwarzen, die bis im April einzeln in lichten Waldungen auf Gras (Schillings) *[...]*

101. Dejanira L.

Esp. V. 170, 171.

Treysa u. Herp. V. Tab. 104.

Meinungen, am Langen, bei Ziehh; am Kaisenwald bei Langen; im Forst in den Waldungen, besonders im Kelmgebölze nicht selten.

Ueberhaupt findet nach dieser schönen Falter auch in der südlichen Wand gegen Waffe, bei Villmutter, Aigle, flux und Wertborg häufig. Selten ist zuerst. Ferner häufig in der Gegend von Ascheng, wie im Walde als Warben; im Sächser im Walde bei Lewngen, denn man jenseitigen Uferoberhalb Vorentsteht und am Tannenberg in bräutiger Vielständen bemerkt wurde; es wurde mit einem Netz eng. Sommerlenderland bei Bergdorf am 18. Juli einzeln ein erheblicher Exemplare zu Gesellschaft von Hyperantus, Legus und Herden gefangen, das von den Antheilgern in gar nichts abweicht. In der östlichen Saferung, einmal am Gläser, wo die Lis in die Vorgergen verhieren! [Hory]

Freyer's Bild (V. Tab. 3094) zeigt auf der Oberseite jeden Hinterflügels 5 groß unterspter Augenkreis. Keinen der Schweizer-Exemplaren schlen jeden A. wohl der grössere gegen den Vorderrand und der Leiter am Innenrand; ich weiss nicht, ob alle Schweizerstücke hierin gleichentümmeren; auf der Unterseite ist die Augenzahl vollständig.

Bei sehr frischenste, männlichen Raupe mit dunkler, weinröstrenem Rückenblick und dunnen Seitenbinden, beim runden Gelenk hinweg, bleibt jauch Freyer; am die Mitte blei im Grau, längs zieht zur Verwandlung an ein Blatt oder Grasstengel, wird an einem platten-plätten, walzigen Puppe und verwickelt sich an Falter nach 14 bis 16 Tagen.

Derselbe Reld unterzog Landschafter, wie Egeria, Hefert ländrig auf Laperdael, und ist wegen seiner später Flügelfärbung nahezu ganz erste zu erhalten. Die Flugzeit dauert bei uns vom 24. oder 25. Juni an bis zu den 9. Juli.

Ke, Entrich) aus den Klaben heraus, auf Felsboden gelangen zu haben. Der alte Einsiedel
wollte dieser Entdeckung nicht Glauben schenken, bis diesem ihm ein Paar Schuh über-
brachte. Wenn Stauferei aber nur Schein hätte bekannt geworden.

Die Raupe ist meines Wissens unbekannt.

143. Hera L.

Baba. F. 153, BA — 653, BBB

Auch diese Art ist von Meleaters noch nicht gekannt. Noch der Beschreibung
meines Freundes, den Herrn Dr. Laubef, ist er bisher mit Hesal gefangen worden.

Hinter 7 hautzupfen sind sehr Ghaaerter. Endung und Schlusslinie sind teilten erst
später sich ab.

Die Raupe dieselbe unbekannt.

144. Satyrion Esp. O.

Prope a. Bobs. IV Tab. 157 F 1, 4. Satyrion. — F. 2, 4. Philea.
Hime. F. 154—44. Psilea

Maissaret, eine den wahrly starken Wiesen und auf den mehigern Alpen ziemlich gemein.

Bewent in der Schweiz über das ganze Alpengebiet, sowohl der Urgebirge-, der
Kalk-, von der Meinzenbrunnen verhältnis zu sein, sobald bis auf die Ostalpen von Kärn-
then, Tyrol und Salzburg; in verschyta Richtung von Lizzo bis auf 6888 u. M.

Alpen des Oberkasbthals. Wallenn- und Wandskoloseipey. Gessini, Stadtwohtem
bes und die Vietnige haruh, von als Coridigst. Druse- und Schwynerlerys. Etgl. sädtische
Alpen. Auf den Jura schistet er in fehlen.

Es fliegt den ganzen Juli hindurch, zumel auf Geschlins, sonnigen Stellen, sombig
über dem Rasen, wie unser Pamphalus, doch als so gewöhnlich.

Er vardat unverwachstelich, sowohl in der Grösse, in der Zunkters oder hellere Fär-
bung, als in der Zahl der Augen auf der Unterseite der Hinterflügel. Am ähnsten in der
Gruppfarbe sind die Stücke der nambigern Vordpson, namil der Gemäreitungen, auf hu-
hern Alpen, bei 5000—8000' G M., wird messt bei München etwas viel dunkler, doch
noch kleiner. Auf den höchsten Regionen, besonders in der Glarnhesuth, nimmt die
Färmung des Rasens einen sehr dunkeln, rötlichtig grautbraunen Ton ab, erbst auf der
Unterseite der Verderflügel verschwinden gegen den Aussenrand die hlichen Wanzung.

[text illegible]

Gruss: Hemperis. Balad.

152. Linos F.

Var. Tagels: Habs. F. 164—165.

[text illegible]

153. Lignula O.

[text illegible]

Var. b) Onopordi Ramsay.

Var. c) Fritillum (Stauromorm.)

Nachtflecke oder Linie, meist nur als Punkte, oft grau bildend. Unterrand der Vorderflügel mattgrau, mit den, oben entsprechenden reinlichen Punkten; An der Hinterflügel graugrau, die unteren Punkte untrepunktelnd, dieselbe, eine schwach Fortzeurung; der untere Weisfleck meist fehlend. Hinterleibseite übrigens, dunter, Behaarung des Tabor schwärzlich.

Diese Form ist die gewöhnliche auf allen Fabryänstigen und habe ich solche ganz übervollkommen? auch eine Binnenstücke durch Ein Inwiffen als Fröhlien erhalten.

Var. f) Cacallae Ramlos.

III. F 12 – 15.

Wenher etwas grösser als die Fontys; Alnum O¿, doch gleichen Pteräform. Betonbung nicht lichtgrau. Die unteren Wurzelflecke etwas grösser, doch auf den Hinterflügeln eher alle Spur des weissen Punkt. Untersaitte der Vorderflügel tiefgrau, an den Aussenrande gegen die Spitze und am ersten Winkel reinlich. Ihr oberen Wurzelflecken wie undeutlich und mehr für Gegenflügel den Kinnerflügel-Sentrei rschginnig, meist Gängrün oder Mittlichgrau. Von den 3 weissen Wurzelflecken ist auch der am Vorderrande verlaunden. Mittelende und Aussenweissflecken nur noch in verwachsenen, unterpünktzlangsen Wirken. Kann-drücksche deutal bergrau.

Cacallae verblich sich in Sege Farbung der Unteralia zu Alnum und Fröhlien gegen was Oxropach zu Gerhauni.

Gamderal erkls dyben Heinze's Abrum F. 246. Auch Freyer ledt sie daün. Rogänzsgrab hab etwas Anyan F. 444 für Sarveneber dander. Die jenes Bar Contre der Contraunbe sind deutsch, so über sich daraber nicht verschreiden. Ambanilde blder Cardine dann dem gemeinten Anschlag, dort scharft Gestauge und mach die Lome fortzusellen.

Sieja Form trage schen in belmännten Höben bei 6000—1300 u. H. vorzugleb auf Urgebirge. Ich fang sie vom 5 - 7. Angust auf der Grundselten adre am Tudurain; Bere auf den Glarner pyns.

Var. g) Gerret Freyer.

Freyer u. Beitr. VI. T.5. L51. F. 3 4.

Offenher die Untere, serbäterverte Bergfern von Fröhlien. Kaum doch es gran wir Alrenke, aber in Fätte. Flagelräude und Infärbung von Cardies nicht verschieden. Die unteren Wurzelflecke etwas hald kleiner, bald grösser hervor. Zwei, mit Forye's Bildern Gemäld übereinstimmende Exemplere maahe mir Hr. Kaus als Cardine Var. an

Nachträge.

— 231

untrv. das Seaggers wenig schwand, den Vorhälger deglinds vergronnd. Labet er ich an ältere Augenblick wieder an die verlornen Stelle zurück und dem mit beschunzid geblümten Flugein einer auf die trockenen Kröte oder auf Sandpinsen ... Er ist ein behandelt, helle-theugere, brunneutere, gegenehieb-supergerher Ehklung, der in seigen Bourhaure heux-schalublick mit einen andere, aber bedeuthungere Markberrig Amdum erig.

Alle inner gehaugenen Frühlingseuterle machen sich von den häuphigeren Somm-mer-Exemptoren in Motroum um. Ihr sind klaiger, durcgehends viel blauber eurhgeld, ohne wohrvebe Behauettangen. Ibr eraat sehr smokte Unterscheid der Vorderflugel sowie der dunkle Warothidd aller Flügel ist durch hiher, brilltloude Prmiutoung Sut mit der weisere Grundherde unroandten. Sig scheuunden Flucke, melebe die Oberkrode der Var-dschflugel hätten, sint mehr estveunt topf auf den Hinterflingeln sind die rundue Flecke umdlich Lehier. Auch der ganze Farbtag der Unmentt ist bei allen den heurigen Frühlingsbühren nereer und bleicher. Ich webg nun micht, ob diese Eigenhemlichbrkiyen els-jahrkuble stehle Observationsnterschiede sind, oder ob sie nur in gewisere Lehren sich regiilig en bebruntelhen.

In yog. 564. Polijschlench. Die Raupe ist leb dieses Jahr am Stegelauf inander-dern häuftg Anfangs Joni auf dem hohen Sorbhum (Populst pyramidalis) Se untergehend nrh in gar wieher nue ihrem der trebben, suy Eikerhkhume, ser sind die Puppen im Allgemeere dunkler. Die, um 4. Juli ausgeheuhenen Falter hatten ein blei-cheres Genkreft als genchnlich, aber lichtere Farben am Immentunde.

Fag 156 enfachen Paphie und Hiohe warde uns Vorschen angenomen.

Aglaja L.

Shlne F et ss C

Freyer n. Brite. IB. Teb. 261 und 265. Var.

Meissner: ales hät tuf daigent schonfschdem häzig. Ih seu Alamadhhliere. s. B ue adsetnstroend, souitenn für S ult mbr grom aud deuhel gefärbt, beruufen gne tadheueb rleher abrehenheu

Dune schöne Art, die fnst aber guns Saropp, von Nork-Cap fürraz bis in's südlicke Leiknrien verbreiten ist, ändert sbch anch anch in der Schwnll auf allen Formenmeare, cue eutve vom Furhbnde au dan Adue ein Araengenuge hbinut. Am Dilägetten seigt ar sich vog der snilvee inPäthie an bis an die Hinte Auppue sowol an den schdthäugen den Auee, auf den leiten freigeborn der Abpen und auf den Widkarven den Kuielineler.

Da, dem dortigen Almengruppen Pohla wie aus dem Walde, doch muls nur in den Alpen Osbern, wie Heiner ohne erklären, anderen auch, ja hat auch wichtiger im Flachlande. Hier so dunkle Sache hervieh ich überigens auch aus Schlusern und Premern. Es ihnen dunnlosten ganz absche reben. Gruppen find ich sie unquerAbhlich voll gefächt und döcke, von Schlummer Getlag eigs eie London 91 aus 18. Juli am Böckprevigel in einer Höhe von ungern soder q. M.,' es dam die dunkeln Flutangen bei diesem Fahrt nicht eine bemerken deilichen Verhältnissen die von teinere verehelen Unterverguppen gen harmonieren stimmen.

Achtlivade übernziswen sind longer mehr selen, manal selten, bei denen auf der Unterveile der Steundtigel des Kierflocks das Wurtelfelder in 4 grosse Minials zusammenmultiticam, wo z. B. bei dem monolorend schlttten Männ, deren Ordnungszuser wweiten und welchen spärer von Trebneldas in seinem «Elidlanstsen Tah. II F. 1 dargähllen wurde. Heutigen tommes Alanderungen vor, bei denen auf des Oberseile einzelne selntuze Pincks in einander Muoren und breile Binden Liden. Eine solche erhielt ja B. Preyer von Dem Mger Austrule ein Mealles reide Preyer u. Deuw. 181. Tab. 301. F. 11. Noch bleiger regen den Wicde mit bleichen, fast forbigsten Selten auf der Oberseis; welche gelobene dan von grölerer Krystallkest oder wentigen nactehellgen Lovelangen übberout dem Pupunzueje bestuviluren.

Die witeswe Bietutege mit bald gefälshen, bald gewelibetes Bietewiwelln und roibes Beierzlloches, bein mehr chestn im Wd. und Jusi auf Wede gebreeb, ob cab und cmlet; no so lege, wieleu liugatoe aud bkut ver den Po-lce. Ich find die ein ciozasl Häl ime Li. Juof, auf dem Jurs ein aelpapopla inh am 7. Juli find Endote was ver geertinlttej, wreis geltlghtse Wetletez ort Lade demelther Uirson Sehr feuelg rutkgelle Abisurben hrag ich bi der folgwede sehe an derselten lkrGt sebee am 18. huni, doch hotma dir auf des Ohserebs Jynnern und Afriodré sthostzt Flocks ob des der Alpengrandes und den Klischuben.

Um Gebgeto der Csrgertie der Enterüügel in den togetledwoten Masmem teiswurks. Am goblrion finde ich so bei der alphaleles Pttiles om Oberalebr, am grmurlen bei dieun an den dunhslo Wabloyurskro den Hugelöandes. Auels der Grlow des Häberbeite andern mir ab. Am Waflu tah ich on firhel, den klisto der herttieden ntg Cyeros agprouts gebe mund.

———————

Systematisches Register der schweizerischen Tagfalter.

VII. Die als bestimmten und in Corjensabrick sind als schweizerische Arten noch zweifelhaft.

Tribus.	Gattung.	Art und Varietät.	[N]
I. Papilioniden.	Papilio	1. Podalirius	
		2. Machaon	
	Parnassius (Pacht O.)	3. Apollo	
		4. Delius	
		5. Mnemosyne	
II. Pieriden.	Pieris (Pacht O.)	6. Crataegi	
		7. Brassicae	
		8. Rapae	
		9. Napi	
		Var. Napaeae	
		» Bryoniae	
		10. Callidice	
		11. Daplidice	
	Anthocharis (Pacht O.)	12. Belia	
		Var. Ausonia	
		» Simplonia	
		13. Cardamines	
	Leucophasia (Pacht O.)	14. Sinapis	
	Colias	15. Palaeno	
		16. Phicomone	
		Var. Europome	
		» Philomene	
		17. Palaeno	
		18. Hyale	
		19. Edusa	
III. Lycaeniden.	Rhodocera (Pacht O.)	20. Rhamni	
	Thecla	21. Pruni	
		22. W. album	
		23. Acaciae	
		24. Lynceus ? (Neu O.)	
		25. Spini	

Tribus.	Gattung.	Art und Varietät.	pag.

Tribus	Gattung	Art und Varietät	pag.
		52. Adis .	
		Var. Sespini	
		53. Selene	
		54. alage .	
		Var. Jenalkas	
		55. Pasrilis	
		56. Arphalus	
		57. Pelius	
		58. Opterro	
		59. aspa .	
		60. Euphimus	
		61. Kribos .	
		62. Ärco .	
		63. Iwora .	
IV. Hymnelidis	Lamp.Aleri	Hier richtunendte Art	
V. Hnsehler	Limenitts	64. Lucilla	
VI. Nymphilidas		65. Sibilla	
		66. Camilla	
	Nymphalis	67. Ilsene .	
		Var. Transdma	
	Argynnis	68. Pandora .	
		69. Paphia .	
		Aglaje .	
		70. Niobe .	
		71. Adippe .	
		Var. Clne hen	
		72. Lechosls	
		73. Amalhynda	
		74. Daphne	
		75. Thore .	
		76. Ino .	
		Var. Ino	
		77. Latonia .	
		78. Euphrosyne	
		79. Selene .	
		80. Dia .	
		81. Daphruildil	
		82. Pelinas .	
		Var. autran N.	
	Melitaea	83. Cynthia .	
		Var. Dryds	
		84. Artomias	
		Var. Jurope	
		85. Cintia .	

Tribus.	Gattung.	Art und Varietät.	pag.

(table largely illegible)